CARLOS AFONSO SCHMITT

# Minhas mãos nas mãos de Deus

### Reflexões e preces para viver seguramente em meio às tempestades da vida

CB011956

EDITORA

SANTUÁRIO

DIREÇÃO EDITORIAL: Pe. Marcelo C. Araújo, C.Ss.R.
COORDENAÇÃO EDITORIAL: Ana Lúcia de Castro Leite
COPIDESQUE: Leila Cristina Dinis Fernandes
REVISÃO: Ana Lúcia de Castro Leite
DIAGRAMAÇÃO E CAPA: Bruno Olivoto

**Dados Internacionais de Catalogação na Publicação (CIP)**
**(Câmara Brasileira do Livro, SP, Brasil)**

Schmitt, Carlos Afonso
   Minhas mãos nas mãos de Deus / Carlos Afonso Schmitt. – Aparecida, SP: Editora Santuário, 2015.

   ISBN 978-85-369-0361-3

   1. Deus 2. Espiritualidade 3. Orações 4. Reflexões 5. Vida cristã – Meditações I. Título.

14-12640                                                     CDD-242.2

**Índices para catálogo sistemático:**

1. Orações: Vida cristã: Cristianismo 242.2
2. Reflexões: Vida cristã: Cristianismo 242.2

2ª impressão

Composição, CTcP, impressão e acabamento:
**EDITORA SANTUÁRIO** - Rua Padre Claro Monteiro, 342
12570-000 - Aparecida-SP - Fone: (12) 3104-2000

*Pois eu, o Senhor, teu Deus,*
**eu te seguro pela mão**
*e te digo: "Nada temas,*
*eu venho em teu auxílio".*
(Is 41,13)

# Sumário

# Introdução

Nada melhor que o inspirado poema de *Nelson Monteiro da Mota* – a quem peço a devida permissão e cordialmente agradeço –, para servir de palavras introdutórias para este livro de reflexões e preces.

Ofereço-o a você, peregrino de Deus, como **força e esperança**, capazes de encorajar diariamente seus passos.

Reflita atentamente comigo, em cada palavra, em cada verso desta maravilhosa canção – que o Brasil inteiro canta –, e prossiga, confiante, **segurando-se, com suas frágeis mãos, nas mãos amigas e poderosas de Deus**.

Sinta-se abençoado, saudável e feliz. Você é um filho querido de Deus, uma filha muito especial, e Ele quer vê-los realizados em sua jornada.

Acompanhe, palavra por palavra, verso por verso, e faça desta canção a sua canção:

*Se as águas do mar da vida*
*quiserem te afogar,*
*segura na mão de Deus e vai.*
*Se as tristezas desta vida*
*quiserem te sufocar,*
*segura na mão de Deus e vai.*
***Refrão:***
*Segura na mão de Deus,*
*segura na mão de Deus,*
*pois ela, ela te sustentará.*
*Não temas, segue adiante*
*e não olhes para trás,*
*segura na mão de Deus e vai.*

*Se a jornada é pesada*
*e te cansas na caminhada,*
*segura na mão de Deus e vai.*

*Orando e jejuando,*
*confiando e confessando,*
*segura na mão de Deus e vai.*

*O Espírito do Senhor*
*sempre te revestirá:*
*segura na mão de Deus e vai.*

*Jesus Cristo prometeu*
*que jamais te deixará:*
*segura na mão de Deus e vai!*

Este é o convite.

Espero cantar com você esta canção ao longo de toda a caminhada que nos aguarda.

Vamos?

# 1

# A finitude humana e os cuidados de Deus

Uma das imagens mais bonitas e comoventes que eu guardo, com muito carinho em meu coração, é a de **um filho pequeno, agarrando-se à mão do pai, num momento de perigo**.

É como se o pai – ou a mãe – fossem todo-poderosos, capazes de livrá-lo de todo e qualquer mal, protegendo-o de todas as adversidades.

Quem passou – como eu – por essa experiência, jamais a esquecerá.

É por isso que assim me sinto em relação a Deus. Como se não pudesse viver sem seus cuidados, como se **minhas mãos** devessem estar sempre **agarradas às suas mãos**. Só assim me sentiria seguro nos caminhos sinuosos da vida.

Sei, no entanto, que Deus quer que **eu cresça**, que eu caminhe com meus próprios pés. Quer ver-me **adulto, responsável,** partilhando minha vida com os irmãos de jornada.

Como se tudo – sob o olhar e os cuidados de Deus – dependesse unicamente de mim.

Defronto-me, invariavelmente, com minha pequenez. A **finitude humana** clama por socorro. A criança interior tem medo. Procura pelas mãos da mãe, anseia pelo amparo do pai.

Sinto-me frágil e ao mesmo tempo seguro. Sei que os **cuidados de Deus** jamais faltarão. Posso prosseguir, confiante, em meu caminho.

Pai, que é pai, não abandona seu filho. **Estou em suas mãos.**

Vivemos hoje, amigo leitor, num mundo violento e conturbado. Sentimo-nos pobres e indefesos, com vontade de gritar, como Pedro, ao afundar-se nas águas do mar:

**"Salva-nos, Senhor!"** (Mt 14,30)
– **Salva-nos** em meio às tempestades da vida!
– **Salva-nos** das enchentes e deslizamentos!
– **Salva-nos** de assaltos, sequestros e acidentes!
– **Salva-nos** de terremotos e tsunamis, de guerras e destruições!
– **Salva-nos!**

Caminhar é preciso. Viver é preciso.

A tentação do medo e do desânimo ronda nossos passos. Frágeis passos!

Inseguros passos! Passos de peregrinos: eternos peregrinos em busca de Deus.

**"O deserto é belo porque, em algum lugar, esconde um poço",** lembra-nos o Pequeno Príncipe. Para lá dirigem-se nossos passos. Certamente é lá que Deus mora...

Vamos!

Ele nos aguarda!

# Prece da entrega

Sinto-me sem palavras, Senhor.
No silêncio deste encontro
sou apenas tua criança grande,
desejosa em reclinar sua cabeça
em teu regaço de pai.

E esquecer que o tempo existe,
esquecer que os compromissos me aguardam,
esquecer que o pão se torna necessário
na mesa dos filhos,
esquecer...

Quisera, sim, abandonar-me
em tuas mãos, Senhor,
como se o único e o mais importante
fosse realmente o amor.
E silenciar, saboreando apenas
a paz do encontro,
a alegria do abraço,
a entrega ao Amor Total.

E acordar, então, para a vida,
refeito e decidido a prosseguir.
**Minhas mãos nas tuas mãos, Senhor:**
sou apenas tua criança grande
entregue aos teus cuidados.
Assim seja!

# 2

## Deus desafia nossos medos

O ser humano, por natureza, é medroso. Quando nasce, traz consigo duas grandes forças: **as polaridades do medo e do amor.** Ninguém está isento delas: nem os santos, nem os valentões.

– O **medo** nos torna frágeis e inseguros, presos aos limites de nossa finitude. Somos criaturas e, como tal, limitados.

– O **amor** nos proporciona a fé, a coragem, a ousadia em transpor limites. Ele é nosso lado águia, desafiando alturas e horizontes, jogando-nos em busca do infinito.

Vivemos hoje rodeados de medos. É o **trânsito** que nos ameaça; os **assaltos** que nos afligem; os **sequestros** que nos angustiam; os **temporais** e as **enchentes** que nos tiram o sono; enfim, uma soma incrível de situações que nos inquietam e amedrontam.

Século conturbado este nosso! É nele, porém, que vivemos. Nele temos de agir para torná-lo melhor e mais seguro.

E Deus disse:

**"Nada temas, Abrão!**
**Eu sou teu protetor;**
**tua recompensa será muito grande"** (Gn 15,1).

A história do povo hebreu nos relata o quanto este homem, chamado depois por Deus de "Abraão: pai de uma multidão de povos" (Gn 1,5), foi corajoso, capaz de **confiar-se totalmente às mãos de Javé**.

Saiu de Ur, da Caldeia, deixando para trás amigos, familiares, terras... e, simplesmente, partiu.

A voz do Senhor o orientava, **sua mão o conduzia**, e Abraão enfrentou, apoiado em sua fé, os medos que o desconhecido constantemente lhe apresentava.

Terras estranhas, povos que lhe poderiam ser inimigos, poucos e pobres pertences em sua tenda, sem filhos para dar-lhe descendência, conforme a promessa do Senhor...

**E agora, Abraão?**
**Continuas a confiar, a crer que o**
**Senhor é fiel e suficientemente**

*16*

**poderoso para dar-te uma descendência
"tão numerosa como as estrelas do
firmamento"?** (Gn 15,5).

— Onde estão teus medos e tuas desconfianças a minar-te a alma, enchendo tuas noites de insônia e pesadelos?

— Quem não vacila, Abraão, diante de tantos anos de espera?

É fácil dizer "nada temas!", difícil é **perseverar na fé**, vencendo corajosamente as provas que o dia a dia proporciona.

E você, amigo leitor, que "terras" é preciso deixar para iniciar uma vida nova, guiada pela mão do Senhor, capaz de fazê-lo seguro e confiante, em meio a adversidades e contratempos?

**Suas mãos nas mãos de Deus** e a **fé** a orientá-lo em todos os **momentos**, nas decisões mais difíceis ou nos obstáculos mais assustadores.

É Deus **desafiando nossos medos**: ou cremos em sua palavra e nos tornamos vitoriosos, ou perecemos em meio às avalanches traiçoeiras que, dia e noite, nos espreitam.

**Estenda suas mãos, confiando que Deus lhe estenda as suas.**

Em Deus, sua fraqueza é força; seus medos são coragem. Com ELE, você vencerá.

# Prece para superar nossos medos

A história de Abraão, Senhor,
mexe profundamente comigo:

Minha pobre fé
está cheia de medos,
de incertezas e dúvidas cruéis.

— Como deixar tudo
sem saber para onde ir?
sem um mapa nas mãos,
sem previsão de chegada,
sem garantia de alimento...

Apenas **sair, desinstalar-se do velho,**
do conhecido e mensurável,
e partir... partir para uma terra
onde a fartura e as bênçãos
saciassem a fome de todos
e a mesa se enchesse de abundância.

— Senhor, eu sei que diariamente
desafias meus medos,
que me expões aos perigos da vida,
protegendo-me com tua mão poderosa.

Ilumina-me, Senhor,
para despertar em mim
a **fé** de Abraão,
a **intrepidez** e a **coragem**
que revestiam sua alma.

**Coloco minhas mãos em tuas mãos,**
para que a tua segurança me ampare,
minha fé me impulsione
e a coragem me sustente.

Contigo, Senhor, sou forte,
contigo vou entrar na Terra Prometida.
Ilumina meus passos, Senhor,
e saberei caminhar.
Amém!

# 3
# Deus se compadece do povo

Um pai, que ama seus filhos, lembra-se de velar por eles, ainda que vivam distantes. Mesmo que estejam sofrendo uma correção – merecida por seus atos – jamais deixará de lembrar-se deles, atento ao que possa faltar-lhes em meio às dificuldades de governar sua própria vida.

Assim era o povo de Israel: escravo dos egípcios, sofrendo um exílio de penitência e purificação, clamando por Deus em seu desterro, oprimido sob o jugo de Faraó.

**Eram como um filho, longe da casa do pai, necessitado**

**em muito de sua ajuda.** Sua vida era sofrida e sua angústia beirava ao desespero.

A mão dos egípcios, impiedosa e cruel, castigava-os ao ponto de não mais suportarem tamanha dor.

E a quem recorrer, a não ser a Javé, ao Deus que fizera Aliança com Abraão, único a poder salvá-los da miséria em que viviam?

E os clamores do povo erguiam-se aos céus, suplicando por clemência.

– Qual o pai que ficaria indiferente a tanto sofrimento?

– Qual o pai – se estivesse ao seu alcance – não estenderia sua mão ao filho necessitado?

– Qual o pai que deixaria de socorrer seu filho, num momento de tanta aflição?

**E Deus é pai.**

Pai, com todas as prerrogativas que este nome carrega.

Pai, de coração misericordioso e atento, observando com amor as necessidades do filho em crescimento.

Estava na hora de intervir. Seu "filho" encontrava-se perdido, incapaz de resolver sozinho os percalços que a vida lhe apresentava. Sem paternalismo, sem solucionar – Ele mesmo – os problemas que o filho teria de solucionar, **estendeu-lhe a mão experiente e poderosa**.

Chamou primeiramente **Moisés**, transformando-o em seu mensageiro, dando-lhe poderes que se tornariam os **"sinais de Deus"** para fortalecer a fé vacilante do povo.

**"Eu vi a aflição
do meu povo que está no Egito
e ouvi seus clamores.
Sim: eu conheço seus sofrimentos"** (Êx 3,7-15).

Este é o nosso Deus. É nele que colocamos nossa esperança e a certeza de sermos salvos. Ele é pai e nos socorre em nossa dor, em nossa pequenez, em nosso exílio, peregrinos que somos em terras que não são nossas.

**"Vai, eu te envio
junto de Faraó para tirar
do Egito os israelitas, meu povo".**

E Moisés – não sem muita relutância – tornou-se o mensageiro, o intérprete dos pedidos e das ordens de Javé. Era preciso agir, urgentemente! O povo teria de reacender sua fé em seu Deus e partir.

**A mão do Senhor iria guiá-los,** contando que eles cressem de todo coração e acatassem as orientações de Moisés. Chegara a hora da libertação: um parto de muita dor a prenunciar a chegada de uma nova vida, da "Terra Prometida" que Deus lhes reservara.

ERA PRECISO PARTIR!

**Partir como nós,** em busca de uma transformação interior, deixando para trás as lembranças de nossos sofrimentos, longe de Deus.

**Partir** em busca de uma vida mais saudável, amorosa e equilibrada. Vida em que a paz reinasse em cada coração, em cada lar, em cada sociedade, em cada país.

Uma "terra santa" em que Deus habitasse, e seus filhos fossem felizes e prósperos.

**Esta é a utopia de Deus**, e sendo "utopia", aguarda que alguém a realize. Sonho só tem valor ao ser concretizado.

Agora é conosco: com você e comigo, caro leitor ou leitora destas reflexões.

**Agora é conosco:** VAMOS AGIR!

E a começar por nós, libertemo-nos de nossas amarras emocionais, rompendo os grilhões do pecado para podermos **partir em liberdade**.

Se o **caminho** é nossa surpresa, **Deus** é nossa força.

Vamos!

# Prece de quem deseja libertar-se

Senhor,
há tantas amarras que me prendem!
Tantas ilusões e falsas vantagens a seduzir-me
na terra do exílio em que vivo!
Será que todo o meu sofrimento
ainda é pouco
para fazer-me clamar por libertação?
Minha angústia, Senhor,
aumenta dia a dia
e não suporto mais tamanha escravidão.

Liberta-me, Senhor!
Socorro-me em teu amor!

Estende-me tua mão salvadora!
Fala ao meu coração
pela voz de um **novo Moisés**,
para tirar-me da aflição
que me deprime e desanima.

Ouve, Senhor, meu clamor,
e desce à minha "terra" para transformá-la.
Minha alma será a **Terra Prometida**
onde habitas em tua glória.

Serei teu filho, liberto e feliz,
crescendo "à sombra de tuas asas" (Sl 90,1-4).
Saberei, então, serenamente,
que **só tu** és meu Deus
e **só em ti** ponho minha confiança.

Sim!
Liberta-me, Senhor!
Assim seja!

# 4

## Só o Senhor é minha segurança

São inúmeras as situações de perigo às quais a vida moderna nos expõe. Vivemos, de certa forma, rodeados de ameaças que nos espreitam de todos os lados.

– É o **trânsito** violento que enfrentamos.

– É a **natureza** a nos desafiar com secas escaldantes ou enchentes devastadoras.

– São os mais imprevisíveis **assaltos**, quer em casa ou na rua, no carro ou em agências bancárias.

– São **sequestros-relâmpago,** amordaçando-nos em segundos e pondo nossa integridade em risco.

– São **epidemias** a atacar nosso fragilizado sistema imunológico, exposto aos mais extremos desafios de frio ou calor, chuva ou seca, inverno ou verão.

– São **noites maldormidas**, dúvidas se acumulando, promissórias vencidas, aluguéis em atraso, filhos na faculdade, doenças imprevistas, despesas adicionais ao já espremido orçamento mensal...

TUDO ISSO: esse quadro, quase "apocalíptico", remete-me ao tempo bíblico do Antigo Testamento e começo a entender, na linguagem da época, a força do Salmo 23.

– Quem de nós não o conhece, em prosa ou verso, em cânticos ou recitado?

– Quem de nós não faz dele sua prece diária de segurança, de proteção e coragem para prosseguir?

**"O Senhor é o meu pastor,
nada me falta"** (Sl 23).

A metáfora é viva e forte. **Somos como ovelhas** e, para elas, **o pastor é TUDO**. É ele quem as conduz para as melhores pastagens. É ele quem as conhece, uma a uma, e carrega em seus braços aquela que se machucou , frágil ou cansada de andar. É ele a vida e a segurança do rebanho, quer esteja tranquilo, em verdes prados, ou ameaçado em penhascos ou vales escuros. Nada há que temer: seu cajado é poderoso e ágil, e nenhum mal atingirá a menor que seja de suas ovelhas.

Nos tempos conturbados de hoje, quem de nós não necessita, constantemente, da presença protetora de um pastor assim?

O salmista sugere ao povo fazer de Javé seu grande pastor. Aquele que é capaz de nos servir mesas fartas e encher nossas taças de bebidas refrescantes. Sua graça e sua misericórdia estarão eternamente com seu povo, seguro e tranquilo, como a ovelha ao lado do seu pastor.

Mais que nunca, **Deus deve ser nosso guia e protetor**, transmitindo-nos segurança e paz de espírito. Só assim será possível livrar-nos do estresse diário, da neurose ou paranoia que nos ameaçam.

– Nossa **fé** é suficientemente forte para vivenciarmos a metáfora da ovelha e do pastor: **nós e Deus**, com total e absoluta confiança?

– Em todos os momentos, em todos os caminhos, **nossa proteção é Javé** e com Ele vivemos, serenos e alegres, mesmo que os "lobos" nos ataquem ou os "vales da morte" nos ameacem?

Pense comigo, você que me acompanha ao longo destas páginas. Quer você more em área rural ou em grandes metrópoles. Quer seja adolescente ou adulto, jovem ou idoso, doente ou saudável, homem ou mulher: pense comigo e **veja** como é verdadeiro o quadro aqui descrito. **Sinta** que as suas mãos, tantas vezes trêmulas e amedrontadas, **suas mãos necessitam urgentemente das mãos poderosas do seu Pastor**, NOSSO DEUS A NOS GUIAR.

**Ouça**, quando a voz do pastor está chamando, e corra ao seu encontro.

Viver sem tanto estresse, sem tanta angústia, sem tanta fobia social, enfim: sem aquela terrível paranoia a nos perseguir em todos os momentos e lugares, **só é possível se Deus de fato for nosso único, insubstituível e verdadeiro Pastor**.

Com ELE, vivemos seguros. Com ELE, saudáveis e felizes. Com ELE, dormindo o sono dos justos.

# Prece de gratidão ao Pastor

Gosto de pensar-me como ovelha,
andando ao lado do seu pastor,
alimentando-se em verdes prados,
bebendo de águas refrescantes...

Como é bom, Senhor,
saber que o pastor do rebanho és tu,
que o teu cajado é forte e vigilante,
que teus olhos são sentinelas
que tudo veem, tudo vislumbram,
de dia ou de noite, em qualquer situação.

Quero agradecer, Senhor,
teus inúmeros cuidados por mim.
Agradecer teu grande desvelo,
teu imenso carinho por esta pequena ovelha
que integra teu rebanho.
Estou feliz, de coração agradecido, Senhor,
porque **tua mão me conduz,
me ampara e fortalece**.

Coloco-me em oração diante de ti
**e ponho minhas mãos em tuas mãos**.

"É na conversão e na calma
que está a vossa salvação.
É no repouso e na confiança
que reside a vossa força" (Is 30,15).
Serenamente, no silêncio de minha alma,
canto, seguro e confiante:

**"Segura na mão de Deus,
segura na mão de Deus,
pois ela, ela te sustentará.
Não temas, segue adiante,
e não olhes para trás,
segura na mão de Deus e vai".**

Assim seja!

"Não, não é a mão do Senhor
que é incapaz de salvar,
nem seu ouvido
demasiado surdo para ouvir.
São vossos pecados que colocaram
uma barreira entre vós e vosso Deus.
Vossas faltas são o motivo pelo qual
a Face se oculta para não vos ouvir" (Is 59,1-2).

# 5

## Uma torre inacessível

Para quem vivesse rodeado de inimigos, ter fácil acesso a uma **torre: fortaleza inexpugnável**, faria toda diferença para sentir-se protegido.

O segredo de acesso à torre era a fé no Deus único e verdadeiro – Javé –, segredo esse que os outros povos desconheciam, tornando-os assim incapazes de acessar a fortaleza.

**"O nome do Senhor é uma torre,
para lá corre o justo,
para procurar segurança"**
(Pr 18,10).

O "justo": aquele que crê, que em Deus deposita sua confiança, esse tem "no nome do Senhor" a sua torre, inacessível aos "pagãos": os "inimigos" modernos que de todos os cantos nos espreitam.

E o salmista nos conforta em nossos medos e inseguranças, colocando sobre nós a proteção do Altíssimo:

**"Ele te cobrirá com suas plumas,
sob suas asas encontrarás refúgio"** (Sl 91,4).

De todos os possíveis males, o Senhor nos livrará, se dele fizermos nosso **escudo protetor**: doenças, acidentes, assaltos, sequestros, inimigos visíveis e invisíveis, todos os que intentem nos surpreender: **"nenhum mal te atingirá, nenhum flagelo chegará à tua tenda"** (Sl 90,11), porque o Senhor cuida de nós, de seus filhos.

Ele envia seus **anjos** para nos acompanhar em todos os caminhos, guardando-nos dos perigos do trânsito, da morte violenta, dos males que nos rondam dentro e fora de casa (Sl 91,11). Assim é o Senhor, melhor dizendo: **assim, através de nossa fé, o Senhor age por nós**.

— Estaremos no momento certo, no lugar certo, para a bênção divina manifestar-se.

— Atrairemos energias positivas, pessoas bem-intencionadas, acontecimentos felizes, porque nosso coração está repleto de amor e bons desejos.

— **Nós mesmos**, amigo leitor, seremos "uma torre inacessível" aos inimigos do corpo e da alma, a todos os males que nos afligem, perturbam e angustiam.

Com o tempo e o exercício das virtudes, tornar-nos-emos "fortalezas vivas", guerreiros da Luz, revestidos com a armadura de Deus.

As "flechas" da inveja; as "pestes" da maledicência; as "víboras" do ódio; os "leões" e "dragões" da injustiça: NADA NOS ATINGIRÁ.

**O Senhor é minha luz e minha salvação,
a quem temerei?
Espera no Senhor e sê forte!
Fortifique-se o teu coração
e espera no Senhor!** (Sl 27,1.14).

Em meio às aflições e às tempestades da vida, prossigo meu caminho, seguro e confiante. A mão de Deus me conduz e ampara. E isto me basta.

# Prece da proteção divina

Sinto-me, Senhor,
como um peregrino em terra estranha,
desnorteado, sem rumo certo,
tentando encontrar o melhor caminho.

Se eu almejasse apenas
o justo e o verdadeiro,
soubesse exatamente o que desejo,
todos os caminhos me levariam
à tão sonhada Terra Prometida.

É aqui, Senhor, exatamente aqui
que reside o meu problema:
nem sempre sei o que quero,
nem sempre escolho o Bem Maior,
nem sempre vivo a paz perfeita,
nem sempre compartilho o amor mais sincero.

Clamo agora por ti, meu Senhor:
torre inexpugnável,
escudo protetor,
minha luz e minha salvação.

Toma as minhas mãos, frágeis e trêmulas,
e prende-as entre as tuas,
mãos fortes e poderosas,
e ampara-me em minha precisão.

MINHAS MÃOS NAS MÃOS DE DEUS...
Só por isso eu anseio,
só por isso minha alma suspira.

**"Tudo posso
naquele que me dá forças"** (Fl 4,13).

Que assim seja, Senhor!
Que assim seja!

# 6

## A mão que se estende à enferma

O mestre Jesus deveria estar cansado. Era o início de sua pregação e o povo não lhe dava sossego algum. Doentes eram curados, possessos eram libertos, "e sua fama divulgou-se logo por todos os arredores da Galileia" (Mc 1,28).

Ele acabara de ensinar na sinagoga, em Cafarnaum, e seus primeiros apóstolos acompanhavam seus passos. Há poucos dias haviam sido convidados a segui-lo, com a promessa de fazer deles "pescadores de homens" (Mc 1,17). Conheciam-se ainda pouco e, certamente por isso, Simão e André convidaram Jesus para um merecido descanso em sua casa. Teria de alimentar-se e recuperar as forças.

Estavam entusiasmados com os milagres do Mestre, felizes por fazerem parte do seleto grupo de discípulos que fora escolhido. Nem sabiam, ao certo, de que se tratava, qual seria sua futura missão. Tinham sido, até há pouco, apenas simples e rudes pescadores.

Chegando à casa de Simão, Jesus viu que "a sogra de Simão estava de cama, com febre" (Mc 1,30). Já lhe haviam falado a respeito dela pelo caminho, lembrando-se dos poderes curativos do Mestre, na esperança de vê-la curada.

Observe agora, amigo leitor, a sequência de **atitudes de Jesus** em relação à mulher enferma que lhe apresentaram. Ainda não eram conhecidos, muito menos, amigos.

Tratava-se, porém, da "sogra de Simão". Alguém especial, por ser da família do futuro líder dos apóstolos.

– Primeira atitude de Jesus para nosso aprendizado: "**aproximando-se ele...**" (cf. Mc 1,29-31).

AMAR É IR AO ENCONTRO. Interessar-se pelo outro. Tomar a iniciativa. Sair da zona de conforto pessoal em busca de quem necessita de ajuda.

– Segunda atitude a ser modelada: o Mestre **estendeu-lhe a mão, segurando a mão da enferma**, para ajudá-la a levantar-se.

Mãos curativas, cheias de amor, tocando mãos enfermas, ansiosas por serem curadas.

**Amor** e **fé** produzem **transformação**: "imediatamente a febre a deixou e ela pôs-se a servi-los".

– Terceira atitude importante: o Mestre, ao tirá-la da prostração, colocou-a "em pé", na posição de quem serve. Não basta curar. **É preciso acordar o outro para o amor**, a fim de que ele se conscientize de sua verdadeira cura: TORNAR-SE LIVRE PARA SERVIR.

A sogra de Simão acolheu o amor curativo do Mestre, compreendeu sua poderosa mensagem de libertação e "curou-se".
**SAÚDE é o equilíbrio entre a alma e o corpo** e ninguém melhor que o amor para realizá-lo.

Mãos que se estendem,
mãos que se tocam.
Mãos que se acolhem,
mãos que servem.

E **nossas** mãos, como são elas?

# Prece das mãos que servem

Senhor, quisera muito
que minhas mãos fossem mãos amigas,
mãos curativas, mãos que se estendem,
mãos que, acima de tudo, SERVEM.
Contemplo amorosamente minhas mãos,
procurando entendê-las.
— Por que elas ainda se fecham, Senhor,
se tantas vezes lhes falei
da necessidade de amar,
de abrir-se para o outro,
de pôr-se a servir, desinteressadamente?

Não consigo entender a força do egoísmo
que as mantém fechadas,
pensando mais em si próprias,
em seu conforto material,
em sua comodidade e segurança...

Transforma, Senhor, estas mãos
que agora estendo em tua direção:
**toca-as, liberta-as,
cura-as de todo egoísmo**.

Dá-me, Senhor, esta graça:
MÃOS QUE SERVEM.
Por meio delas prometo amar-te
em todos que de mim necessitam.
Dá-me, Senhor, MÃOS QUE SERVEM.
Que assim seja!

# 7

## "Eu quero, sê curado"

Na época em que Jesus vivia na Palestina, lepra era uma doença incurável e maldita. Seus portadores eram excluídos do convívio da família, de qualquer contato social que não fosse o de outros leprosos. Eram, literalmente, condenados à solidão, à miséria e ao abandono total.

Ninguém podia aproximar-se deles, nem com eles conversar, dando-lhes, pelo menos, um mínimo de atenção. A sociedade simplesmente os excluía, condenando-os ao sofrimento solitário e à morte inexorável. Eram considerados "impuros" e ninguém podia tocá-los, porque impuro também ele se tornaria (cf. Lc 13,10-17).

Um medo generalizado a respeito de leprosos tomava conta de todos.

— De um lado, **os familiares**, sofrendo por não poder cuidar de seu ente querido em sua própria casa. Medo de serem também eles contaminados. Medo de serem julgados pelas rígidas leis religiosas, sem clemência com ninguém.

— De outro lado, **os enfermos**, pobres criaturas, relegados ao desespero e à morte vergonhosa e fatal.

A **lepra** era considerada "maldição de Deus" e, como tal, quem a tivesse, teria de pagar por seus pecados. Pessoas saudáveis, "puras", teriam de fugir de quem estivesse contaminado, mesmo sendo pai ou mãe, marido ou esposa, filho ou filha, não importando sua idade ou condição social.

Imagine, amigo leitor, a triste realidade que o Mestre encontrou em sua terra, realidade que, em absoluto, ele não aceitava.

Era impossível relegar assim criaturas humanas, necessitadas de tudo, de um mínimo de atenção ao alimento indispensável para não morrerem de fome.

Era visto que os leprosos, sabendo da fama do novo profeta, das curas milagrosas que operava, quisessem conhecê-lo, suplicar sua ajuda para serem purificados. Só assim, com o aval dos sacerdotes que atestassem sua cura, poderiam voltar ao seio da família, ao convívio social e religioso do seu povo.

Era o início da pregação de Jesus. Uma euforia geral tomava conta de todos. Nunca se vira algo igual, nem profeta algum com poderes extraordinários como este jovem galileu.

Certo dia, um leproso, enfrentando a rejeição normal do povo, jogou-se aos pés de Jesus, suplicando-lhe com humildade:

**"Se queres,
podes limpar-me"** (Mc 1,40-45).

– Se for de **tua vontade**, Mestre: limpa meu corpo deste mal.
– Tu sabes do meu sofrimento e só tu podes ajudar-me.
E o Mestre ousou fazer o que ninguém faria:

**"compadecendo-se dele,
estendeu a sua mão,
tocou-o..."**

Era inadmissível! Como ousava tocar um "impuro"? Impuro também se tornaria, diziam o medo e a crença popular. Nada, porém, amedrontava o Mestre: ele tinha o poder, porque Deus estava com ele.

**"Eu quero, sê curado."**

"E imediatamente desapareceu dele a lepra", conta-nos o relato bíblico. E o homem viu-se purificado. Salvo. Reintegrado. Nascido novamente. O restante dos fatos nos é conhecido.

Era lei, se alguém se curasse, apresentar-se ao sacerdote, no templo, fazer uma oferenda e receber a permissão de retornar à sua família e participar da sociedade. E Jesus pediu ao homem, que havia curado, que assim procedesse, sem espalhar muito o milagre acontecido, para não criar celeuma entre o povo e as autoridades religiosas da época.

É compreensível que o homem curado não se contivesse. Tamanha era sua alegria que a notícia da cura se espalhou como vento impetuoso, e o povo, de toda parte, acorria para conhecer o Mestre e implorar-lhe seus favores.

Assim era o novo profeta: poderoso em palavras e obras, capaz dos mais incríveis milagres. E atraía multidões, cada vez mais numerosas; doentes e necessitados lhe eram trazidos de todos os lugares.

A todos procurava atender, saciando-os com suas palavras divinas e seu amor generoso.

— E a **nós**, doentes do século XXI, quem nos curará?

— Quem nos **tocará** com sua **mão amorosa**, limpando-nos de todo o mal?

— Se a **lepra do corpo** a medicina moderna é capaz de curar, dos males da alma, quem nos livrará?

Com o apóstolo Pedro chegamos a uma única conclusão:

**"Senhor, a quem iríamos nós?**
**Só tu tens palavras de vida eterna"** (Jo 6,68).

# Prece de purificação

Prostro-me diante de ti, Senhor,
como o leproso ajoelhado aos teus pés.
Sinto-me pobre e necessitado de ti,
incapaz de purificar-me sem tua graça.

São tantos os **males** que afligem minha alma inquieta!
São tantas as **incertezas** que me assaltam!
São tantos os **medos** que me prendem!
São tantas as **dúvidas** que me invadem!

Purifica-me, Senhor,
e eu serei curado por tua mão amiga
a tocar minha alma.
Compadece-te de mim, Jesus,
e em tua infinita misericórdia
perdoa meus pecados,
renova meu espírito,
liberta-me de todo o mal.

Quero sentir-me reintegrado
ao grupo dos teus eleitos,
fazer parte da tua família,
usufruir do teu santo convívio.

Acolhe-me, Senhor, e purifica-me!
Também eu quero ouvir hoje
as mesmas palavras que o leproso ouviu:
**"Eu quero, sê curado".**
Assim seja!

# 8

## A fé compartilhada

Nem sempre apenas a **nossa** fé é suficiente para realizar o milagre. Deus nos fez **coirmãos**. Necessitados uns dos outros. Complementares uns aos outros. Em comunhão de amor e ajuda mútua. Interligados, interdependentes. Assim o Senhor nos vê. Assim gostaria que vivêssemos.

Foi isso, exatamente isso, que aconteceu certo dia com um paralítico que muito desejava encontrar-se com Jesus. Sua fé, ao longo de tantos anos, fora incapaz de curá-lo. Ouvira falar dos milagres do novo profeta, oriundo de Nazaré, e ele teria que vê-lo e implorar sua divina intervenção.

Sozinho? Jamais seria possível! Pelo menos **quatro homens** – que com ele partilhassem da mesma esperança e da mesma fé –, pelo menos quatro teriam que ajudá-lo.

Deitado em sua cama, totalmente incapacitado de locomover-se, o homem foi levado em seu leito ao encontro de Jesus.

– E quem disse que era uma tarefa simples, fácil de executar?

– Quem poderia prever as enormes dificuldades que enfrentariam para aproximar-se do Mestre?

– Como romper o "cerco humano" que a multidão criava, ao espremer-se na tentativa de chegar mais perto dele?

A fé daqueles homens – movidos pela fé do paralítico – em nada se abalou. Se era impossível achegar-se ao profeta em meio à multidão, impossível não seria "inventar" um **outro jeito** de consegui-lo. É que o Mestre estava ensinando "no interior de uma casa" e não a céu aberto como normalmente o fazia. Estivesse talvez cansado, enfrentado sol forte ou chuva, caminhando e pregando sempre...

Aí residia agora o "novo" problema: como trazer o paralítico até aos pés de Jesus?

Para que pudesse vê-lo, pudesse tocá-lo e, consequentemente, pudesse curá-lo?

O **amor** e a **fé** inventam soluções. E, aqueles homens, inventaram-nas.

Subiram ao telhado da casa, removeram as telhas **"do lugar onde Jesus se achava e, por esta abertura, desceram o leito em que jazia o paralítico"** (Mc 2,1-12).

E o inusitado aconteceu!

Em vez de curá-lo – **"vendo-lhe a fé"** –, o Mestre livrou-o primeiramente de seus pecados.

**"Filho, perdoados te são os pecados."**

De forma alguma o paralítico esperava por isso! Como que aquele profeta poderia "perdoar seus pecados", se isso só a Deus competia?

Não era ele, porém, quem iria questioná-lo. Os escribas da Lei o fariam, indignados e estupefatos com a atitude de Jesus. O Mestre, porém, não tinha tempo a perder com tanta mesquinharia. De nada lhe importava se o chamassem de blasfemo. Desafiara a falta de fé e o orgulho de seus opositores e essa era sua intenção.

– O que é mais fácil: perdoar pecados ou curar o paralítico?

**"Para que conheçais o poder concedido ao filho do homem**
**sobre a terra, disse ao paralítico:**
**Eu te ordeno,**
**levanta-te, toma o teu leito**
**e vai para casa."**

E mais uma vez o milagre aconteceu.

O paralítico ergueu-se, à vista de todos, deixando aquela multidão maravilhada, em profunda admiração, louvando a Deus e dizendo: "Nunca vimos coisa semelhante".

O milagre da **fé compartilhada** acabara de realizar-se. E Jesus o confirmou, conforme claramente nos relata o evangelista: **"vendo-lhes a fé"**, concedeu-lhe a cura. **A fé de todos os**

**envolvidos**, não apenas do paralítico, personagem central do evento. Eram **quatro** homens: **oito mãos** carregando um amigo necessitado.

**Fé compartilhada, amor compartilhado.**

Ingredientes básicos, indispensáveis à realização de qualquer milagre. É disso que as **mãos entravadas** daquele pobre paralítico precisavam para achegar-se ao Mestre, colocando-as confiantes nas mãos poderosas de Jesus.

**"Se a jornada é pesada**
**e te cansas na caminhada,**
**segura na mão de Deus e vai."**

No dia a dia de nossa vida, amigo leitor, **você e eu** somos convidados pelo Mestre a sermos "um dos quatro homens" que se dispõem a ajudar os mais necessitados.

"Paralíticos" há muitos. Faltam carregadores...

# Prece de quem deseja compartilhar

Mais uma vez, Senhor, percebi hoje
como sou cego e indiferente
aos teus apelos redentores.

Paralíticos?... De muitas formas
há homens e mulheres "paralíticos",
sofrendo o isolamento de sua dor.

Incapazes de mover-se sozinhos,
de encontrar o Mestre que procuram,
de sair do leito de sua enfermidade,
física ou emocional.

Incapazes de superar a depressão,
o desânimo, a tristeza,
a síndrome de pânico que os atormenta.

Que eu saiba compartilhar, Senhor,
minha fé com tantos necessitados!
Que eu seja **um** daqueles quatro homens,
dispostos a inventar a solução exata,
a partilhar a palavra oportuna,
a ser a presença amiga que reconforta.

Abre, Senhor, meu coração,
e, como ao paralítico,
perdoa também meus pecados.
E assim, cura-me!
Serei, então, dia a dia,
"um dos quatro":
partilhando amorosamente minha fé.
Que assim seja!

"Fortalecei as mãos desfalecidas,
robustecei os joelhos vacilantes.
Dizei àqueles que têm o coração perturbado:
'Tomai ânimo, não temais
eis vosso Deus,
ele mesmo vem salvar-vos'" (Is 35,3-4).

# 9
## Um toque diferente

Alguns empurram, outros tentam abrir caminho. Enquanto alguns afastam, outros amparam.

São centenas de pessoas movimentando-se em ritmo frenético, tentando acompanhar os passos do Mestre. O vaivém das mãos é uma dança, às vezes rápida, outras vezes lenta, todos defendendo seu espaço e o direito de estar mais próximo a Jesus. A multidão, literalmente, "comprimia" o Mestre, diz-nos o evangelista Marcos (cf. Mc 5,25-34).

Seria impossível, para quem estivesse ao lado de Jesus, distinguir, se alguém o tocasse, que mãos o haviam feito.

Havia, no entanto, entre a multidão uma mulher doente que **"há doze anos sofria de um fluxo de sangue"** e médico algum conseguira curá-la. Sua ansiedade aumentava a cada passo, prestes a encontrar-se finalmente com o Mestre.

A multidão, porém, era tanta e tão afoita que se tornaria praticamente impossível realizar seu grande desejo.

Cheia de fé, refletia consigo:

> **"Se tocar, ainda que seja a orla**
> **de seu manto, estarei curada".**

Esgueirando-se entre o povo, a muito custo conseguiu tocar a extremidade do manto de Jesus. Fora apenas um rápido toque, mas um **toque diferente**. Um toque de fé, de esperança, carregado de amor e súplica. E o Mestre **"percebeu, imediatamente, que dele saíra uma força"**: a mulher sentira-se curada.

**"Quem tocou minhas vestes?"**, indagou ele à multidão. Ora, se eram tantos!

Muitos o haviam tocado, uns por descuido, outros intencionalmente, e ele queria saber **quem o havia tocado**?

Em verdade, entre as centenas de mãos, **uma** era diferente. Só ela carregava a energia de uma grande fé, e o Mestre notou que acontecera um "toque diferente" em seu manto.

Sentindo-se "atemorizada e trêmula" diante da pergunta do Mestre – pois ela sabia estar curada –, lançou-se aos pés de Jesus, contando-lhe o que fizera.

Eis, então, a agradável surpresa:

**"Filha, a tua fé te salvou.
Vai em paz,
e sê curada do teu mal".**

– **Mãos** que se estendem em busca de salvação.

– **Mãos** silenciosas, amigas, amparando outras mãos sofredoras entre as suas.

– **Mãos,** carregadas de fé, compartilhando seu amor com inúmeros corações aflitos.

– **Mãos, especiais,** de um **toque diferente,** capazes de proporcionar alívio ao corpo e à alma de qualquer necessitado.

E as **nossas,** que mãos são elas, entre as tantas que dançam a valsa da vida, que se apertam, acariciam e entrelaçam?

Terão nossas mãos um **toque diferente,** capaz de curar, de amar incansavelmente, de estender-se ao próximo, sem restrição alguma?

Olhe suas mãos, amigo, e fale com elas. Verifique o teor do seu toque e ative-as. Elas são muito especiais. Depende apenas de você confirmá-lo.

Está esperando o quê?

# Prece das mãos suplicantes

Senhor, ponho-me em oração,
prostrado aos teus pés
como a mulher necessitada de cura.

Tamanha era sua fé
que um simples toque, na orla do manto,
curaria sua longa enfermidade.

E o coração do Mestre atendeu-a,
recompensando seu gesto humilde,
seu jeito simples de pedir ajuda.

Acolhe, Senhor, minhas mãos suplicantes
com o mesmo amor que tens pelos doentes,
pelos pobres e desvalidos.

Sinto-me agora como alguém,
no meio da multidão,
querendo chegar mais perto de ti,
querendo escutar tua voz,
tocar teu manto sagrado.

Eis, Senhor: diante de ti,
coloco minhas mãos em oração.

Toca-as com tua força curadora,
transforma-as com teu divino poder.
Seguro e confiante,
posso agora seguir caminho.
Tuas mãos me amparam e fortalecem:
nada me falta, Senhor.
Assim seja!

# 10

## A menina que reviveu

té mesmo autoridades religiosas daquele tempo – tratava-se de um **chefe da sinagoga** – rendiam-se aos poderes do novo profeta. Era impossível não crer no extraordinário, no milagroso que acompanhava aquele homem.

Simplesmente maravilhoso, divino e sem precedentes o que se passava nas terras da Galileia!

O Mestre revolucionava a esperança do povo, descrente da ajuda de suas autoridades, descrente até mesmo do próprio Deus.

Uma nova centelha de luz resplandecia nos olhos de todos: um grande profeta surgira entre o povo. Um Mestre por excelência, poderoso e cheio de amor.

Jairo, um dos chefes da sinagoga, lançou-se aos pés de Jesus, **"rogando-lhe com insistência: minha filhinha está nas últimas. Vem, impõe-lhe as mãos para que se salve e viva"** (cf. Mc 5,21-24.35-43).

Mais uma vez, **as mãos**. Mãos que salvam, curam, fazem reviver. Assim eram as mãos abençoadas do Mestre: salvíficas e milagrosas.

Todos estavam apressados, dirigindo-se à casa de Jairo. Talvez fosse um pouco distante e o Mestre demorasse a chegar. Além disso, uma mulher que há doze anos padecia de um fluxo de sangue interrompera sua trajetória, atrasando sua caminhada. De nada importava tudo isso: mais um **sinal de Deus** iria manifestar-se logo mais.

**"Tua filha morreu"**, anunciou um mensageiro ao pai aflito.

**"Por que ainda incomodas o Mestre?"**

Diante da notícia da morte da menina, Jesus em nada se abalou.

**"Não temas: crê somente"**, disse ele a Jairo.

Os familiares e o povo estavam em alvoroço. Choro e lamentações pela pobre menina, de apenas doze anos. Tão nova e tão bonita! Era injusto que Deus o permitisse! Morrer, na flor da idade, era triste demais!

**"Por que todo esse barulho e esses choros? A menina não morreu, ela está dormindo."**

*62*

E o povo ria do profeta. Está morta, sim!

Como não chorar diante de tamanha perda, de uma adolescente cheia de sonhos, morrendo sem ninguém poder ajudá-la?

"Dormindo?" Dormindo que nada!

Consolo inútil e zombeteiro diante da dor de seus familiares, dizia o povo.

Jairo, seu pai, confiava totalmente no Mestre. Se ele quisesse, a menina viveria.

Sua fé lhe dava a certeza do milagre. **"Não temas"**, dissera-lhe Jesus. Estava tranquilo, sentindo-se amparado pela mão de Deus.

Movido por sua grande misericórdia e seu amor sem limites, o Mestre com certeza o atenderia.

**Segurando a mão da menina,** num gesto de bondade e proteção, firme e carinhosamente, falou-lhe em seu idioma: **"Talita cum!"**, isto é: **"Menina, eu te ordeno: levanta-te!"**.

Para alegria e espanto de todos, no mesmo instante levantou-se a menina e começou a caminhar. Preocupado com seu bem-estar físico, recomendou Jesus aos familiares que lhe dessem de comer. E ela se alimentou, atestando assim que estava realmente viva, renascida da morte precoce que a surpreendera.

Reparou, amigo leitor, nos **detalhes** que o texto bíblico reserva para a importância das mãos?

— "Vem, **impõe-lhe as mãos"**, rogava o pai da menina. Nelas residia o poder de Deus, a energia salvífica e curadora.

Para nós, viver conectado às mãos de Deus é como partilhar de seu poder, do fluxo redentor de sua energia.

– E o Mestre, **"segurando a mão da menina"**: suas mãos nas mãos dela, pronunciou as palavras mágicas. Um **toque diferente**, amoroso, cheio de poder.

Lembre-se:

> "Se as tristezas desta vida
> quiserem te sufocar,
> **segura na mão de Deus e vai"**.

Sim, vai!
Alguém espera por tuas mãos...

# Prece para acordar e renascer

Senhor, parece que, às vezes,
sou igual àquela menina: "adormecido".
**"Ela está dormindo"**, afirmou Jesus.
E, se ela está dormindo, é preciso acordar.

**Acordar**, Senhor, para a presença de Deus
em minha vida.
**Acordar** para o divino que me rodeia.
**Acordar** para os sinais da graça
que se multiplicam diariamente
aos meus olhos, e eu custo enxergar.
**Acordar** para uma vida nova,
renascendo da morte emocional
que me prostra em depressão.
**Acordar**, Senhor, para o grande momento:
o momento presente, o AGORA,
em que Deus se manifesta ao meu coração.
**Acordar e renascer, Senhor!**

Sim! Dá-me esta graça!
Impõe-me tua mão,
segurando minhas mãos entre as tuas,
e pronuncia tua palavra poderosa:
**"Levanta-te!"**
Que assim seja!

# 11

# A fé de uma mulher pagã

Uma das páginas mais emocionantes dos evangelhos é o relato do diálogo de Jesus com certa mulher cananeia (cf. Mc 7,24-30 e Mt 15,21-28).

A extraordinária fé dessa mulher – declarada "pagã" pelos dois evangelistas – é algo muito comovente. Insistia tanto em ser atendida que os apóstolos já estavam nervosos com seus gritos. **"Despede-a!"**, imploravam eles ao Mestre.

Pouco, no entanto, se importava ele com a situação, acostumado ao assédio constante do povo.

De maneira clara e proposital, o Mestre testou a fé daquela mãe que tanto implorava por sua filha.

Não viera ele a não ser para cuidar **"das ovelhas perdidas da casa de Israel"**, e essa que aí estava, **"caída a seus pés"**, não fazia parte desse rebanho.

Sua filha estava possuída por um demônio e Jesus teria que expulsá-lo. Se ele tinha o poder, o milagre da libertação daquela menina teria que acontecer.

De forma alguma a mãe desistiria. Estava diante do profeta, jogada aos seus pés. Ele teria que ouvi-la:

**"Senhor, ajuda-me!"**

Jesus, valendo-se de uma simples mas contundente metáfora, desafiou radicalmente a fé daquela mulher:

**"Deixa primeiro que se fartem os filhos; não fica bem tomar o pão dos filhos e lançá-lo aos cães".**

— Sentiu-se ela — a mãe aflita — ofendida?

— Sentiu-se rejeitada, sabendo não fazer parte do povo de Israel?

— Encheu-se, por acaso, de raiva, diante da comparação do Mestre?

Nada disso abalou sua fé. Pelo contrário, completou magistralmente as palavras do Mestre, numa atitude de absoluta confiança e humildade.

**"É verdade, Senhor,
mas também os cachorrinhos,
debaixo da mesa,
comem das migalhas dos filhos."**

Pouco lhe importava se o Mestre a comparasse a um "cachorrinho intruso e faminto", malvisto pelo dono da casa. Se ao menos algumas migalhas da mesa farta sobrassem para ela, seriam o suficiente. Contentar-se-ia com isso, contanto que sua filha fosse curada daquele terrível mal.

E o coração do Mestre não resistiu.

Aquela pobre mulher tocara profundamente seus sentimentos de bom Pastor. Teria que atendê-la, sim!

Ela o merecia, tamanha era sua humildade e sua fé. Poucas vezes ele vira algo igual.

Comovido, encheu-se de compaixão por essa ovelha desgarrada.

**"Ó mulher,
grande é tua fé!
Seja-te feito como desejas."**

No mesmo instante sua filha ficou liberta.

– E nós, amigo leitor, de que "demônios" temos que nos libertar?

– É o **egoísmo** que nos prende e impede de nos abrir ao próximo?

– É o "demônio" da **inveja**, da **cobiça**, da **ganância** que nos atormenta?

– É o "demônio" da **raiva** que, com suas intrigas e maledicências, destrói nossa vida?

– É o "demônio" do **álcool**, das **drogas**, da **pedofilia**, da **exploração sexual**, dos vícios mais degradantes que possam destruir nossa dignidade de filhos de Deus:

– De que "demônios", também nós, temos que nos libertar?

Pare e reflita, você que me acompanha nesta leitura. A HORA É AGORA. O Mestre está passando. Corra a seu encalço e jogue-se a seus pés.

Peça, insista, grite... como a mulher cananeia o fez.
É a sua vez de libertar-se.
**"Senhor, ajuda-me!"**

# Prece de libertação

Na confiança de minha prece,
imagino-me prostrado a teus pés, Senhor.
Há uma cananeia morando em mim,
necessitada de tua ajuda.

Quisera, Senhor,
ter a fé robusta e a humildade imensa
daquela mãe cananeia.

Em seu íntimo ela sabia
que a hora da libertação chegara.
Ver sua filha curada e feliz
curaria também seu sofrimento de mãe.

– E eu, Senhor, que "demônios"
são urgentes expulsar de mim?
São eles a preguiça espiritual,
o comodismo, o descaso com as coisas de Deus?
São eles meu orgulho descabido,
meus ódios descontrolados?

Ah! Senhor,
quantos "demônios" para expulsar!
Ajuda-me!

Liberta-me!
Também eu preciso ouvir
tua voz a socorrer-me:
"Vai!
Tua fé te salvou!"
Amém!

# 12

## A cura de um surdo-mudo

O mar da Galileia era um dos cenários favoritos de Jesus. Seus apóstolos haviam sido pescadores. Homens simples e rudes, mas de bom coração. Neles o Mestre vislumbrava as "virtudes ocultas" que seu amor e sua dedicação por eles fariam brotar. Seriam, de hoje em diante, "pescadores de homens", com "redes e peixes" totalmente diferentes aos costumeiros. E eles, largando seus barcos, seguiram incondicionalmente o Mestre (Mc 1,16-20).

A cena do milagre de hoje acontece às margens do mar da Galileia, cenário conhecido e – quem sabe – até certo ponto saudoso.

Um **surdo-mudo**, trazido por seus familiares, era o alvo dos pedidos suplicantes.

As **mãos** curadoras, compassivas e poderosas, teriam que entrar em ação. Rogavam ao Mestre **"que lhe impusesse as mãos"** (Mc 7,31-37).

As mãos de Deus, através do profeta, fariam o surdo e mudo ouvir e falar. Era necessário apenas que o doente fosse "tocado". Nada mais.

Ao **toque** daquelas mãos nenhum mal resistia. Enfermidade alguma seria capaz de opor-se à vontade curadora dessas mãos. E a fé daqueles familiares sabia dos poderes divinos que elas carregavam.

Mais uma vez Jesus compadeceu-se desse povo necessitado, suas pobres ovelhas, sedentas e famintas em busca da água e do alimento imperecíveis.

**"Tomou o surdo-mudo à parte dentre o povo, pôs-lhe os dedos nos ouvidos e, cuspindo, tocou-lhe a língua com saliva."**

"SINAIS" para que todos vissem. SINAIS transformadores, cheios de simbolismo divino. Mãos salvíficas em ação.

**"Éfeta!"**, exclamou o Mestre, para que pudessem entendê-lo em seu próprio idioma.

**"Abre-te!"**

E, **"no mesmo instante, os ouvidos se lhe abriram, a prisão da língua se lhe desfez"**.

Ouvia e falava perfeitamente. Incrível presenciar o que haviam presenciado! Era maravilhoso demais! Deus, de fato, visitara seu povo. Um grande profeta fora enviado para curar e libertar os oprimidos por todo tipo de enfermidades.

Louvado seja o Senhor por tantas maravilhas!

O povo estava admirado e feliz, bendizendo a Deus e publicando os feitos milagrosos de Jesus, por onde quer que andassem.

Pedir que não o fizessem, como o próprio Jesus solicitara, pouco adiantaria. Era extraordinário demais o que estava acontecendo!

**"Ele fez bem todas as coisas.
Fez ouvir os surdos e falar os mudos."**

O "Mestre Jesus de hoje" é o mesmo profeta de outrora. Compassivo, atento às necessidades materiais, físicas e espirituais do seu povo.

– O que nos falta, então, amigo leitor, para curar-nos de nossa "surdez espiritual", que se nega a ouvir as mensagens diárias de Deus?

– O que nos falta para que a "prisão de nossa língua" se solte e saibamos proclamar a Boa-Nova da salvação a todos que gostariam de ouvi-la?

– Falta-nos fé, humildade suficiente para suplicar ao Mestre que "imponha suas mãos" sobre nós e nos cure?

A HORA É AGORA.

Vamos!

O Mestre está passando...

# Prece de um surdo-mudo contemporâneo

Senhor,
não sei se eu falo por sinais
ou peço aos familiares para implorar por mim.

Meu maior problema, aliás,
não é físico, é psicológico.
Mais ainda: é espiritual.

Só tu, Senhor, ninguém mais,
pode curar-me desse grande mal.

Meu coração, às vezes, está surdo,
incapaz de ouvir teus apelos.
Minha língua está presa pelo medo,
pela omissão, pela covardia.

Sou um batizado, ungido em teu nome,
mas teu Espírito em mim enfraqueceu
por negligência minha.

Impõe, Senhor, tuas mãos
e toca meus ouvidos renitentes,
toca minha língua amortecida.

Que eu sinta agora
tuas mãos divinas a tocar-me
e tua palavra poderosa a ordenar:

"Abre-te! E fala em meu nome.
Eis que te envio diante de mim.
Vai! E profetiza".
Amém!

"Eu, o Senhor, chamei-te realmente,
**eu te segurei pela mão**.
Surdos, ouvi!
Cegos, olhai e vede!" (Is 42,6.18)

# 13
## Mãos que multiplicam e repartem

Um homem extremamente preocupado com o bem-estar dos outros. Um coração capaz de compadecer-se com o sofrimento alheio, a ponto de chorar com a perda de um amigo.

Um pregador cativante, arrastando multidões atrás de si. Acima de tudo, um profeta poderoso, cuja palavra curava qualquer enfermidade; repreendia a injustiça; condenava a hipocrisia, convidando todos à conversão. Assim era ele: o Messias, o Enviado, Jesus, o Filho de Deus.

Três dias de caminhada, três dias de pregação. E o povo

a segui-lo, fascinado por sua mensagem, esquecendo-se de tudo, até mesmo do pão para o corpo (cf. Mc 8,1-9).

Lugar deserto, distante da cidade, sem recursos para atender milhares de famintos. E o Mestre, preocupado com o bem-estar do povo.

**"Alguns tinham vindo de longe"** e seria desumano despedi-los assim. Iriam desfalecer pelo caminho. Com fome, com sede, enfraquecidos pelo calor do sol e pelas noites maldormidas.

Os discípulos, percebendo a preocupação do Mestre, em relação à situação do povo, adiantaram-se para alertá-lo da real impossibilidade de alguém alimentar tanta gente num lugar assim, longe de qualquer recurso.

### "Como poderá alguém fartá-los de pão aqui no deserto?"

— Estariam eles desafiando o poder milagroso do Mestre, lembrando-se de uma anterior multiplicação dos pães?

— Estariam com medo de serem **eles** desafiados a resolver o problema, como na primeira vez o Mestre o fizera? (cf. Mc 6,33-44).

— Gostariam de esquivar-se desse incômodo compromisso, ver-se livres da multidão em vez de enfrentar o problema e tentar resolvê-lo?

Em todo caso, era crítica a situação, não fora a incrível capacidade do Mestre em se compadecer das pessoas sofridas que, há três dias, acompanhavam-no em suas pregações.

"**Quantos pães tendes?**"
"**Sete**", responderam-lhe os discípulos.

Apenas uma migalha, nada mais que uma "pequena migalha" para tanta gente.

É neste momento, porém, que **as mãos generosas e compassivas de Jesus entram em cena**.

Eram as mãos do próprio Deus em ação.

> **"Tomando os sete pães,**
> **deu graças, partiu-os**
> **e entregou-os a seus discípulos**
> **para que os distribuíssem."**

— Mãos que **agradecem** à vida, ao Criador dos grãos de trigo, àqueles que preparam estes pães.

— Mãos que **partem e repartem** o alimento para a fome do corpo.

— Mãos que **multiplicam**, porque o amor é capaz de saciar multidões, transformando o pouco em muito, o pequeno gesto — "sete pães" — em milhares de pedaços para saciar multidões.

— Mãos que **distribuem**, abertas e desprendidas, pensando apenas em prover a fome daquela gente.

Lembraram-se, então, os discípulos que alguém trazia consigo alguns peixinhos.

Pequenos, sim. Nada que o amor do Mestre não pudesse resolver. Ele os abençoaria, transformando-os em milhares de peixinhos, capazes de ajudar a amenizar a fome daquelas multidões.

E todos comeram. Todos se fartaram.

Sobraram ainda **"sete cestos de pedaços"**.

Coisas do amor... só um Mestre, como Jesus, seria capaz de fazê-lo. E é espantoso o final do relato:

**"Ora, os que comeram
eram cerca de quatro mil pessoas".**

Dá para imaginar, amigo leitor, tamanha multidão, todos com fome e todos ficando saciados?!

Só as mãos poderosas do Mestre – **mãos carregadas de amor** – poderiam realizar milagres estrondosos assim.

"Partir, multiplicar, distribuir", verbos que também **nossas mãos** precisam urgentemente aprender. Colocando-as nas mãos de Deus, nossas mãos ficarão impregnadas com o seu amor. E o **amor** – só ele! – conhece todos os segredos da partilha. Agora, é só deixá-lo agir.

– Onde e como?

Ele o saberá!

# Prece das mãos que aprendem a repartir

Preciso rezar, Senhor,
para te falar de minhas mãos.
Ainda estão longe de ser como as tuas...

Olho para elas, Senhor,
e sinto que ainda são mesquinhas, egoístas,
incapazes de partilhar o amor
como tuas mãos generosas partilhavam.

Pensam demais em seu conforto,
no bem-estar que os bens materiais oferecem.
Pensam demais em si mesmas,
agem em proveito próprio,
esquecendo-se das multidões famintas,
– famintas de amor,
– de uma palavra de conforto,
– de um gesto de esperança,
– de um estímulo de fé.

Ensina minhas mãos, Senhor,
ensina-as a repartir!

Chega de egoísmos, de posses,
de concentração de bens
que o mundo de consumo tanto apregoa.
É hora de partilhar, de distribuir,
de repartir os dons que Deus me outorgou.
Eis minhas mãos, Senhor,
toma-as entres as tuas.

Abençoa-as, converte-as,
e elas aprenderão a partilhar.
Que assim seja!

# 14

## É preciso ver com clareza

Milagre incompleto, "pela metade", não fazia parte da manifestação do Mestre.

Seu amor pelo povo, especialmente pelos mais necessitados – os cegos, surdos, mudos, coxos, paralíticos... –, seu amor por eles era total. A cura, conquistada pela fé do suplicante e dos amigos e familiares, tinha de ser completa.

Há um caso curioso – a cura de um cego – que se encaixa no perfil do meu comentário (cf. Mc 8,22-26).

Certo dia trouxeram-lhe um cego, suplicando que o Mestre

o "tocasse". Na fé que alimentava a alma de seus familiares, um "toque" das mãos milagrosas do profeta seria o suficiente. Bastaria que o Mestre "tocasse" os olhos do cego e eles se abririam.

A compaixão e o cuidado que Jesus demonstrava por todo e qualquer enfermo que lhe apresentassem fizeram com que **tomasse o cego pela mão** e se retirasse com ele do meio da multidão, **"para fora da aldeia"**. Toda atenção seria dispensada agora para ele: o cego que precisava ver, e ver com toda clareza.

> **"Pôs-lhe saliva nos olhos e,**
> **impondo-lhe as mãos,**
> **perguntou-lhe:**
> **– Vês alguma coisa?"**

De novo, as "mãos" e os "sinais" que aumentassem a fé: saliva, imposição (toque!), diálogo com o cego... Cenário perfeito, criado pelo amor, pela extrema dedicação que o Mestre oferecia a todos os necessitados.

**"Vejo os homens como árvores que andam"**, respondeu-lhe o cego.

Algo ainda não estava completo. "Homens" têm de ser vistos como homens. Não são "árvores que andam". Era preciso **ver com clareza**, com os olhos de Deus, olhos espirituais, para deixar de ser cego. Por isso, mais uma vez o Mestre **"impôs-lhe as mãos nos olhos e ele começou a ver, nitidamente"**.

Só agora estava curado. Por completo.

– E nós, leitor amigo, "vemos com total clareza"?

– Sabemos distinguir, com nitidez, as coisas de Deus das coisas dos homens?

– Percebemos, com precisão, a diferença entre "homens e árvores", dando aos primeiros a relevância que merecem como filhos de Deus?

– **Ver com clareza** é extremamente importante neste século XXI. São os mais variados apelos que o mundo nos faz, e nem sempre Deus integra esses chamados. Saberemos distinguir, fazendo as escolhas certas, por que nossos olhos veem muito além das aparências?

– Você vê, com clareza, "onde" mora o perigo?

Ele vem disfarçado em álcool, em drogas, em prazeres e consumismo?

– Você vê, com clareza, quais os caminhos de Deus, caminhos que lhe garantam saúde de corpo e alma, paz, amor e salvação?

– Você vê, com clareza, os "sinais de Deus", convidando-o a mudar de trajetória, isto é: "converter-se", voltar para uma nova direção, a direção que o conduz ao verdadeiro amor?

Somos nós, **os cegos contemporâneos**, que "nada veem" ou "tão pouco veem", que não distinguem o caminho que trilham?

Um encontro pessoal com o Mestre, "fora da aldeia": fora do barulho, do tumulto de nossas cidades, dos constantes apelos da TV... Como seria importante!

Está em suas mãos oportunizá-lo.

O Mestre está passando...

Corra ao seu encontro!

# Prece para ver com clareza

Quanta cegueira, Senhor!
Quem me dera ser aquele cego
totalmente curado por teu amor!

Poderia, sim, "ver com clareza",
distinguir com total nitidez
as coisas de Deus,
sem confundi-las com as coisas do mundo:
apelos interesseiros,
convites duvidosos,
caminhos perversos.

TOCA MEUS OLHOS, SENHOR,
toca-os tantas vezes
quantas necessário for,
até que eu veja "distintamente".

Livra-me da cegueira espiritual, Senhor.
Abre-me os olhos do coração,
para que vejam **além** do cotidiano,
**além** das meras aparências,
**além** do que os olhos do corpo veem.

Preciso vislumbrar o eterno, o divino
escondido em cada ser humano.
Olhos de fé, olhos de amor:
dá-me, Senhor, esta graça.
Amém!

# 15

## O poder curativo da oração

Fico a imaginar cenas curiosas e intrigantes, até mesmo pitorescas, que o entusiasmo e a euforia dos apóstolos patrocinavam ao lado do Mestre, sentindo-se importantes ao assessorar o grande profeta.

Só eles estavam **sempre** com ele, bem diverso do povo que tentava pelo menos "saudá-lo" quando o vissem passar (cf. Mc 9,14-19).

Os escribas – críticos ferrenhos da nova pregação e de seus difusores – discutiam com os discípulos que não haviam conseguido expulsar "um demônio mudo e surdo" de um menino. O pai o trouxera, suplicando em favor de seu filho enfermo.

Os traços que o caracterizavam eram de epilepsia.

Possuído por um espírito ou não, a doença maltratava o menino, jogando-o por terra, espumando e rangendo os dentes, com o corpo endurecido pelo descontrole cerebral que o afetava.

**"Ó geração incrédula!
Até quando vos hei de aturar?"**

A reprimenda do Mestre seria apenas para seus discípulos ou englobaria os escribas, a família do menino e o povo em geral?

**"Desde a infância"** aquele menino sofria desse mal, explicava o pai a Jesus. E todos, em casa, sofriam muito, desesperados por não saberem ajudá-lo. Como acontece com epilépticos, sua vida está muitas vezes a perigo. Caem na água, queimam-se, batem a cabeça como se quisessem matar-se. Era isso que o pai mais temia.

O "espírito-doença" atormentava terrivelmente essa criança, a ponto de a família inteira viver angustiada.

**"Mestre, se tu podes alguma coisa** (lembrava-se o pobre pai que os discípulos não puderam curá-lo...)**, ajuda-nos, compadece-te de nós".**

**"Se podes alguma coisa!..."** (como duvidar do poder do Mestre, de suas mãos que tudo curam, de seu amor milagroso, ao qual enfermidade alguma resiste?)

## "TUDO É POSSÍVEL AO QUE CRÊ."

Magistral afirmação! Resposta para não deixar ninguém com dúvidas. "Tudo" é tudo, também o mal desse menino.

**"Creio, Senhor!"**, exclamou o pai, esperançoso.

**"Vem em socorro à minha falta de fé."**

E o coração compadecido do Mestre não resistiu às suplicas daquele pai. Mais uma vez **comoveu-se**, expulsando definitivamente o mal que dominava esse menino.

**"Espírito mudo e surdo, eu te ordeno:
sai deste menino
e não tornes a entrar nele."**

Era uma ordem poderosa, definitiva e radical.

O menino foi jogado ao chão, como se tivesse morrido. Totalmente imóvel, o povo julgava-o morto.

**"Morreu"**, diziam eles, estupefatos.

Jesus, porém, **"tomando-o pela mão ergueu-o, e ele levantou-se"**.

Como sempre, não poderia faltar o ritual sagrado: o "toque". As mãos do Mestre expressavam ternura. "Tomando-o pela mão": as mãos de Deus tocando as mãos do homem.

Um convite para que o contrário também acontecesse: **as mãos do homem tocando as mãos de Deus.**

**"Segura nas mãos de Deus e vai."**

Ao chegar à casa, à tardinha, os discípulos precisavam entender o que com eles acontecera. Teriam sido "incapazes" de curar o menino? Por que aquele mal – doença ou demônio – resistira a suas ordens?

**Faltara-lhes fé**, dissera Jesus.

Mais ainda: faltara-lhes um **estado de oração** que os conectasse mais vivamente a Deus.

Era preciso **rezar mais, rezar sempre,** como se a oração se tornasse a própria respiração da fé. Estava em jogo **o poder curativo da oração,** sem a qual certos milagres não acontecem.

FÉ e ORAÇÃO: dois sólidos pilares a sustentar nossa frágil construção.

E o Mestre foi taxativo, tanto para seus discípulos como para seus seguidores do século XXI:

**"Esta espécie de demônios
não se pode expulsar,
senão pela oração".**

O recado está dado. Quem tem ouvidos para ouvir, ouça!

# Prece para aprender a rezar

Senhor,
tenho a impressão de que não sei rezar.
"Só com oração" conseguem-se certas graças,
realizam-se os milagres
humanamente mais difíceis.

Ele e o Pai, no mesmo Espírito,
viviam permanentemente conectados.

Tudo para o Mestre era oração,
e a oração era tudo.
Por ela, a fé se expressa;
por ela, o poder se manifesta.

Preciso aprender a rezar, Senhor,
rezar como tu rezavas:
"em espírito e verdade", na certeza
de que o Pai sempre te ouviria.

Há "demônios" que precisam ser expulsos,
vícios a serem debelados,
doenças a serem curadas.

No silêncio desta prece, Senhor,
**coloco minhas mãos entre as tuas**

e meu coração quer ouvir-te.
Em Espírito de oração,
uno-me contigo ao Pai.
SOMOS UM. Em permanente oração.
**Que assim seja!**

# 16
## Coração de criança

Mais que sair de uma rotina cansativa, parar um pouco para conversar com um grupo de crianças, e ouvir suas mães, era extremamente caro ao coração de Jesus (Mc 10,13-16).

Os apóstolos, por sua vez, pensavam bem diferente. Tentaram até mesmo afastar as mães com seus filhos porque iriam atrapalhar a pregação do Mestre. Faltava só esta: um "bando" de crianças barulhentas ao redor de Jesus, impedindo-o de atender os enfermos que lhe apresentavam.

**"Indignou-se"** Jesus com a atitude hostil dos apóstolos. Também elas, as criancinhas, mereciam a atenção que seu amor a todos dispensava.

> **"Deixai vir a mim os pequeninos**
> **e não lho impeçais;**
> **porque o reino de Deus**
> **é daqueles que se lhes assemelham."**

— No reino de Deus não há grandes ou pequenos, pobres ou poderosos. Todos são iguais perante Deus.

— Um "coração de criança", com toda a simplicidade e pureza que o caracterizam, é condição de pertença ao reino.

— Adultos são mais complicados, cheios de estruturas e preconceitos. "Coração de criança" é livre, desprendido e acolhedor.

— Assim deveriam ser os integrantes do novo Reino: pessoas de coração aberto, isentas de críticas maldosas, norteadas em tudo pelo amor.

Tudo isso o Mestre encontrava no coração das crianças. Alegres, descontraídas, curiosas, querendo saber quem era esse homem maravilhoso de quem tanto se falava.

Fico a imaginar a cena que se criou.

Qualquer pedra improvisada era o suficiente para acomodar o Mestre. Sentara-se ele, chamando a pequenada para abençoá-la.

Alguns, mais afoitos, subiam-lhe ao colo, outros puxavam sua túnica: todos querendo falar alguma coisa, qualquer que fosse.

Amoroso, Jesus abraçava, carinhosamente, as crianças, impondo-lhes as mãos e abençoando-as.

— Imaginou-se, amigo leitor, "criança como aquelas", recebendo um abraço e uma bênção de Jesus, convidando-o a ter **um coração de criança** para pertencer ao seu reino?

— Imaginou-se revendo seus conceitos de adulto, suas normas e organizações financeiras, suas leis e burocracias obsoletas, percebendo assim o quanto sua vida está longe de ser como a de um "coração de criança"?

**Acolher o reino**, parecendo-se com os pequeninos, em sua abertura de coração perante o novo, não é tarefa nada fácil. Requer despojamento, abnegação, entrega total às propostas do evangelho: a **Boa-Nova** que veio para revolucionar o jeito antigo e tradicional de viver.

Por isso tudo – pelo profundo significado escondido em seu gesto carinhoso –, o Mestre parou, interrompeu seu roteiro convencional, pôs um sorriso em seus olhos, alegrando-se com a possibilidade de abraçar e abençoar as crianças que lhe eram trazidas. Seu coração, sem dúvida, era um coração de criança: livre, aberto, simples e acolhedor.

E, assim, quer ele que sejamos nós, seus seguidores.

Cabe-nos, então, a grande pergunta:

— Em que nos assemelhamos a um "coração de criança"?

— Se esta é a **condição de pertença ao reino**, será que fazemos parte dele?

– **Converter-se** é mudar de direção, é seguir a trajetória do espírito, buscando "as coisas do Alto".

Hoje, "converter-se" é adotar um coração de criança. Isso basta: as portas do reino estão, assim, abertas para nós. É só entrar...

# Prece para pedir simplicidade

Hoje me dei conta, Senhor,
de quão complicado eu sou!
Nem é pelo número de anos...
É pela estrutura mental obsoleta
que eu criei ao longo da vida.

Quisera tanto, Senhor,
ter a simplicidade das crianças,
a pureza que brilha em seus olhos,
a inocência que aflora em suas palavras.

A proposta de pertença ao teu reino
passa por estes requisitos.

E onde estão eles em mim?
O mundo dos homens
– com suas leis, seus negócios, seu consumismo –
enraizou-se em mim, Senhor,
a ponto de tornar-me uma pessoa séria,
ocupada com "coisas muito importantes",
sem tempo para rezas e reflexões.

As "coisas do espírito" são intangíveis,
não combinam com números e estatísticas.

Preciso voltar a ser simples, Senhor,
como as crianças que abençoaste.
Teu reino me desafia, Senhor.
Ajuda-me, eu te peço,
a vivê-lo com "coração de criança".
Que assim seja!

"Prestai-me atenção e vinde a mim,
escutai, e vossa alma viverá.
Quero concluir convosco uma eterna aliança,
outorgando-vos os favores
prometidos a Davi" (Is 55,3).

# 17

## Mãos de bom samaritano

A história do bom samaritano, relatada por São Lucas, é cheia de ricos detalhes, repleta de maravilhosas lições para todos os tempos.

Lucas, um dos discípulos, era médico. Com olhos clínicos, observa e descreve certos episódios da vida de Jesus, de forma tão minuciosa como só um médico poderia fazê-lo. Assim é com a narração do bom samaritano, uma das mais belas e comoventes lições que o Mestre ensinou, através de suas inúmeras parábolas.

Falava ele ao **coração** do povo. Ao inconsciente coletivo

e individual, capaz de entender a sabedoria escondida em cada palavra, em cada metáfora que lhes transmitia.

Era comum que os escribas ou doutores da Lei desafiassem o Mestre. Em sua capacidade e astúcia, porém, jamais caiu nas malhas perversas desses mal-intencionados.

Numa discussão sobre o **maior** dos mandamentos, sobre a **maneira prática** de "possuir a vida eterna" (cf. Lc 10,25-37), chegou-se à questão de **quem, afinal, é "meu próximo"**?

Sabendo Jesus que os samaritanos eram malvistos, considerados pagãos pelos judeus, introduziu em sua história exatamente a figura de um morador da Samaria como exemplo de amor ao próximo. Era um "tapa de luva" bem dado que o Mestre lhes aplicava. Ainda mais tendo em vista que os outros personagens da narrativa, "um sacerdote e um levita", eram integrantes da casta religiosa, guardiã dos bons costumes e das leis vigentes entre os judeus.

Imagino a raiva que a **classe dominante**, diretamente atingida, sentia ao ouvir a história que Jesus contava. Um "representante" de Javé – um **sacerdote** – colocado como **mau exemplo**, incapaz de condoer-se com o sofrimento alheio, **"viu-o e passou adiante"**. Um **levita** – aspirante a sacerdote (como se fosse um seminarista ou diácono de nossos dias) –, **também passou adiante** ao ver o homem jogado à beira do caminho, suplicando por ajuda.

O enredo da história era intrigante: **"um homem descia de Jerusalém a Jericó e caiu nas mãos de ladrões, que o despojaram; e depois de o terem maltratado com muitos ferimentos, retiraram-se, deixando-o meio morto"**.

— Cenário perfeito para a prática do amor!
— Cenário perfeito para socorrer alguém!
— Cenário perfeito para ajudar o próximo!

Aí está o **cerne** da questão:

— Quem é "meu próximo"?
— Quando **sou eu** o próximo para alguém?

Dois transeuntes, "ocupados com as coisas de Deus" (um sacerdote e um levita), certamente não teriam tempo a perder com um pobre homem, ferido e jogado à beira da estrada.

**"Viram-no e passaram adiante",** contava-lhes Jesus.

Surgiu, então, o personagem principal da narração: alguém de "fora", **um pagão**, desprezado por quem fosse de Israel.

Um **samaritano**, cavalgando por essa estrada, viu o homem moribundo, **"moveu-se de compaixão por ele, atou-lhe as feridas, deitando nelas azeite e vinho".** Colocou-o em sua própria montaria, prestando-lhe todos os cuidados necessários. Pagou adiantado pela hospedagem e mais ainda: voltou no dia seguinte para vê-lo, querendo saber como estava sua recuperação. Havia recomendado ao hospedeiro que tudo o que fosse preciso, **"na volta, ele o pagaria".** E assim o fez.

A grande pergunta pairava no ar:

> **"Qual destes três te parece
> ter sido o próximo daquele
> que caiu nas mãos dos ladrões?"**

Não havia escapatória. A resposta – que em nada agradava ao doutor da Lei que inquirira Jesus – tinha de ser dada: o próximo daquele homem assaltado quem era?

– **"Aquele que usou de misericórdia para com ele".**

E quem fora?...

– Um samaritano!

**"Vai e faze tu o mesmo"**, concluiu magistralmente o Mestre.

As **mãos** do bom samaritano chamam-me atenção nessa abordagem evangélica.

Lucas, o evangelista, era médico. Conhecia muito bem que providências teriam de ser tomadas num momento assim. As mãos do samaritano encheram-se de ternura e de cuidados: limpou-lhe as feridas, atou-as, colocou nelas os remédios caseiros que com ele trazia (azeite e vinho), levantou o ferido de sua prostração, salvando-o de sua quase morte, colocou-o em sua montaria...

Quanto envolvimento para aquelas mãos, totalmente abnegadas e desprendidas, sem medo algum de contaminar-se!

Quanta dedicação para alguém desconhecido, apenas um "próximo", necessitado de ajuda!

Eram as **mãos de Deus** AGINDO pelas **mãos do samaritano.** Serão as NOSSAS agindo em conexão com Deus?

A recomendação do Mestre é clara: **"Vai e faze tu o mesmo".**

# Prece para aprender a amar o próximo

Senhor, às vezes eu sinto vergonha
pela falta de sensibilidade com o próximo.

Vergonha, pela oportunidade perdida,
em ser **eu** o próximo mais próximo
de quem necessita um olhar de amor,
um toque de carinho, um abraço amigo,
um aperto de mão, um sorriso...

Ando ocupado demais comigo,
ocupado demais com ambições terrenas,
ocupado demais com "as coisas dos homens".

E o tempo para "as coisas de Deus"?
Não sei o que acontece, às vezes,
em minha vida agitada, Senhor.

Pareço alheio ao sofrimento dos outros,
distante de quem me estende a mão
pedindo ajuda.

"Vejo e passo adiante",
como o sacerdote e o levita,

insensível à dor e à necessidade
de tantos sofredores.
Preciso aprender, Senhor,
a amar meu próximo com mais abnegação.
Preciso tornar-me
o próximo mais próximo de meus familiares,
de meus amigos e vizinhos.

Olhos e mãos atentos à vida:
há sempre algum ferido
à beira de nossas estradas.

Amar é isso...
Que eu aprenda, Senhor!
Que assim seja!

# 18
## Mãos que pedem justiça

Como entender que um homem calmo, **"manso e humilde de coração"** (Mt 11,29), como ele mesmo se denominava, viesse a se encher de um "santo furor", agigantando-se diante de um grupo de vendedores, no templo, fazendo o alvoroço e o "estrago" que fez? Como entender tal atitude?

Era injusto o que estava acontecendo! A casa do Senhor transformara-se num mercado público, pior: numa **exploração da fé do povo**, referente à oferenda de sacrifícios. O Mestre **indignou-se** ao extremo e o **zelo** pela casa de seu Pai lhe devorou as entranhas a ponto de enfurecer-se diante desse lamentável cenário.

Teria ele agarrado algum chicote ou laço dos vendedores de ovelhas e começado a expulsar a todos que aí negociavam?

Tudo indica que sim. Ninguém resistiria à sua ira sagrada, pondo a correr os cambistas, derrubando suas mesas e cadeiras, enxotando ovelhas e pombas que encontrasse pela frente.

Era preciso **purificar o templo**, devolvendo-lhe a dignidade original que lhe fora destinada: **ser uma casa de oração**.

A paz e a tranquilidade voltaram a reinar e o povo lhe trazia os doentes para serem curados. E o Mestre os instruía, lembrando a todos o texto do profeta Isaías.

**"A minha casa chamar-se-á
casa de oração para todas as nações"** (Is 56,7).

Suas palavras, agora, seriam duras. Suas mãos tinham sido justiceiras, executando um "serviço de limpeza e purificação espiritual". Era necessário, porém, deixar um recado bem claro aos que expulsara de suas funções comerciais:

**"Mas vós fizestes dela
um covil de ladrões"** (Jr 7,11).

Agora sim! Mexera com o vespeiro! Os sacerdotes e os escribas sentiram-se incluídos na lista dos destinatários daquelas palavras!

Encheram-se, pois, de ódio contra o Mestre, a ponto de querer matá-lo.

Era urgente sufocar sua voz e acabar com essa doutrina que punha em jogo todos os demais ensinamentos por eles apregoados. Tornara-se insuportável a presença desse profeta entre eles! Perdiam, dia após dia, sua autoridade e o povo não mais os respeitava como antes.

Esse homem era uma ameaça à religião e ao governo. Nada melhor que exterminá-lo, calando-lhe a voz e acabando com esta onda de milagres que finalizavam completamente o povo.

Jesus conhecia muito bem suas más intenções. Nem por isso se intimidava. Ficou no templo até tarde daquele dia, ensinando e curando os enfermos, mesmo diante da visível agressividade dos príncipes dos sacerdotes e escribas da Lei. Ele viera cumprir uma missão, e iria cumpri-la, mesmo a custo de sua própria vida.

As **mãos** que afagavam as crianças e curavam os enfermos, tocando-os carinhosamente, eram as mesmas que se revestiam de um "santo furor justiceiro" quando se tratava das coisas sagradas da casa de seu Pai. O Templo era intocável: jamais poderia ser profanado.

**Nossas mãos**, amigo leitor, se clamássemos também por justiça, teriam muito que fazer.

– Quanta **corrupção** a ser expurgada!
– Quantas **falcatruas** a serem denunciadas!
– Quanta **exploração** a ser combatida!

— Quanta **injustiça** a ser debelada!

— Quanta **maldade** a ser transformada!

E o "templo de nossa alma": quanta purificação necessitaria ele! Há "ladrões" instalados nele.

Roubam-nos a paz, roubam-nos a alegria, roubam-nos a fé.

Que o zelo sagrado que se apoderou das mãos do Mestre tome conta das nossas também. E possam, sem medo, expulsar de nós os vendilhões: todo tipo de intrusos que não vêm de Deus. E, assim, purificado se torne nosso templo. Purificado se torne nosso coração.

# Prece da purificação

Senhor,
não é contra os outros
que minhas mãos justiceiras
têm de voltar-se primeiro.

**É contra mim**, Senhor,
que preciso intervir
para purificar meu coração.

Há muitos **intrusos** em meu templo:
há desejos obscuros, ciúmes, inveja;
há vendilhões querendo negociar
meus valores éticos e morais,
comprar minha dignidade espiritual
por um preço qualquer de exploração.

Quero limpar meu templo, Senhor,
purificá-lo de tudo que é profano,
de tudo que avilta e diminui,
de tudo que o desvia do seu ideal.

Minha alma seja sempre
meu sagrado e inviolável templo,
povoada pela luz do Espírito,

repleta de infinitas bênçãos.
Para isso, Senhor, purifica-me!
Minhas mãos sejam mãos de luz,
mãos de amor, mãos de justiça.

Meu coração, Senhor,
será teu templo:
livre e purificado.
Amém!

# 19

## A quem devemos servir?

Cada um de nós carrega uma moeda em suas mãos. Nem todos se dão conta disso e vivem sem perceber o que carregam. Um lado da moeda serve aos interesses humanos, o outro, às coisas de Deus.

– Nosso **amor** é moeda.
A quem ele serve mais?

– Nosso **tempo** é moeda.
A quem o dedicamos mais?

– Nossa **fé** é moeda.
Em quem realmente cremos?

– Nossa **vida** é moeda.

Costumamos gastá-la em quê?

O relato bíblico que hoje nos serve de reflexão é extremamente intrigante. É mais uma das inúmeras armadilhas que os sumos sacerdotes e os escribas armaram para comprometer o Mestre.

**"Enviaram-lhe alguns fariseus e herodianos para que o apanhassem em alguma palavra"** (cf. Mc 12,13-17).

Eles mesmos evitaram o confronto. Fariseus e servidores de Herodes seriam os portadores ideais dessas perguntas traiçoeiras.

Tibério era o imperador de Roma e seu domínio, na época, estendia-se sobre toda a Palestina. Herodes governava então a Galileia e Pilatos era governador da Judeia.

Opor-se às autoridades constituídas, principalmente ao soberano de Roma, seria o suficiente para condenar Jesus.

Opor-se, porém, a servir a Deus seria renegar sua condição de profeta. Não havia como escapar: nessa armadilha o Mestre cairia.

Movidos por tais intenções, aproximaram-se os mensageiros, enchendo-o de elogios e louvações:

**"Mestre, sabemos que és sincero**
**e que não lisonjeias ninguém:**
**porque não olhas para aparências**
**dos homens, mas ensinas o caminho**
**de Deus.**

> É permitido que se pague
> imposto a César ou não?
> Devemos ou não pagá-lo?"

A capacidade perceptiva de Jesus ia muito além da nossa. Conhecia seus pensamentos e sabia perfeitamente a que viera tamanha hipocrisia. Queriam armar-lhe um laço, flagrá-lo em contradições, enredá-lo em suas próprias palavras.

Tarefa nada fácil diante da sagacidade do Mestre. Era capaz de ler seus pensamentos **antes** que os formulassem verbalmente.

> "Por que me quereis armar um laço?
> Mostrai-me um denário."

Estava aí, em suas mãos, a **moeda:** seria referência para intriga ou contradição, moeda de justiça e verdade ou ponto de condenação?

> "De quem é esta imagem
> e a inscrição?
> – De César, responderam-lhe."

E Jesus arrematou de forma surpreendente e magistral, deixando a todos perplexos e admirados:

> "Dai, pois, a César o que é de César,
> e a Deus o que é de Deus".

Fantástica e imparcial colocação! Iriam acusá-lo de quê?

— De ser tendencioso?
— De ir contra César?
— De esquecer-se das coisas de Deus?

Em nada puderam apanhá-lo. Calados, voltaram sem levar aos sacerdotes motivo algum que o condenasse.

**Olhe para suas mãos,** amigo leitor: qual o **lado da moeda** que mais você contempla?
Como toda moeda tem dois lados, a escolha é sua. Boa sorte!

# Prece para pedir discernimento

Às vezes, Senhor, ando confuso
com a metáfora da moeda
que Jesus usou para alertar-me.

Terra e céu, homens e Deus,
tempo para o trabalho,
tempo para a oração...

Que lado da moeda
recebe minha especial atenção?
A quem me dedico mais:
às coisas dos homens
ou às coisas de Deus?

Dá-me, Senhor, a graça
do equilíbrio e do discernimento.
Se ambos – terra e céu –
convivem comigo dia a dia,
como equilibrar meus interesses,
como dividir meu tempo?

Trabalhar com Deus no coração,
levá-lo consigo em todos os caminhos:
na família, nos negócios, no lazer...

Lado a lado, Senhor, contigo
transformando a terra em céu.
Assim eu quero crescer,
assim eu quero viver,
hoje e sempre.
Amém!

# 20
## Mãos que perfumam a vida

Ela era pecadora. Toda cidade o sabia. E, como tal, tratavam-na. **"Um objeto"**, em vez de pessoa. No entanto, foi ela quem protagonizou uma das mais emocionantes cenas da vida de Jesus.

Certo fariseu, chamado Simão, convidou Jesus para jantar com ele (cf. Lc 7,36-50).

Recepção fria, sem os cuidados e os rituais que normalmente acompanhavam a acolhida de alguém em sua casa. Qual o interesse de Simão ao convidar o Mestre não está claro na descrição do evangelista. Com poucas palavras ele introduz o relato, dizendo apenas que

**"Jesus entrou na casa de Simão
e pôs-se à mesa".**

As boas maneiras do anfitrião em relação ao ilustre convidado – como era tradição entre os judeus – foram totalmente relegadas. O Mestre, no entanto, sentou-se à mesa, participando da refeição a que fora convidado.

Aconteceu, então, o que Simão e os demais convivas jamais poderiam imaginar.

Uma mulher, conhecida na cidade como pecadora, **"quando soube que Jesus estava à mesa na casa do fariseu, trouxe um vaso de alabastro cheio de bálsamo..."**.

Viera chorar seus pecados e perfumar a vida de Jesus. Suas mãos, acostumadas ao pecado, estavam agora cheias de um caro e suavíssimo perfume, prontas a redimir-se de todo o mal que cometera.

**"Suas lágrimas banhavam os pés do Senhor e ela os
enxugava com os cabelos de sua cabeça, beijava-os
e os ungia com o bálsamo."**

Cena inusitada e comovente! Cena, aos olhos do Mestre, sagrada e cheia de amor. Aos olhos dos demais: uma vergonha!

**"Se este homem fosse profeta,
bem saberia quem e qual a mulher
que o toca, pois é pecadora."**

Julgar os outros, condená-los, como é fácil aos nossos olhos superficiais, presos às aparências! O olhar de Jesus penetra os corações e, por isso, conhece os pensamentos mais ocultos de cada ser humano. Sabendo dos pensamentos maldosos que alimentavam a seu respeito, Jesus disse a Simão:

> **"Um credor tinha dois devedores:**
> **um lhe devia quinhentos denários**
> **e o outro, cinquenta.**
> **Não tendo eles com que pagar,**
> **perdoou a ambos.**
> **Qual dele o amará mais?**

Pergunta clara, resposta direta:

> **"A meu ver** – respondeu Simão –
> **Aquele a quem ele mais perdoou".**
> **"Julgaste bem",** replicou-lhe Jesus.

E começou então uma severa crítica à atitude de Simão em relação ao Mestre.

A tradição e os bons costumes judaicos colocavam à disposição do visitante **uma bacia com água**, a fim de lavar suas mãos e seus pés. Nada disso Simão fizera.

> **"Entrei em tua casa e não me deste**
> **água para lavar os pés."**

Aquela pecadora, no entanto, lavara-lhe os pés com suas lágrimas de arrependimento e enxugara-os com seus cabelos.

— **Beijava-se o visitante:** era o "ósculo" de boas-vindas. Também isso havia sido ignorado. Aquela mulher, porém, beijava-lhe os pés, comovida e penitente.

— Era costume **ungir,** com **óleo perfumado, a cabeça do visitante**. Também isso, a falta de amor e educação de Simão haviam suprimido.

> **"Mas esta, com bálsamo,**
> **ungiu-me os pés."**

Que cena emocionante! Uma prostituta, arrependida de suas atitudes pecaminosas, prostrada, em prantos, aos pés do Mestre, beijando-os e ungindo-os com finíssimo bálsamo.

A quem quisesse, abria-se um caminho para as mais variadas ou maldosas interpretações.

Menos uma: **a de Jesus**. E para que Simão e todos os convivas o ouvissem, ele declarou:

> **"Seus inúmeros pecados lhe foram perdoados,**
> **porque ela tem demonstrado muito amor.**
> **Mas, ao que pouco se perdoa, pouco ama".**

O alvoroço era geral! Os mais diversos e escusos comentários enchiam aquela sala.

E tudo iria piorar, no momento em que Jesus se dirigisse à pecadora, dizendo-lhe compassivamente:

**"Perdoados te são os pecados".**

Blasfêmia! Como alguém poderia "perdoar pecados", se isso unicamente a Deus pertencia?

**"Quem é esse homem
que até perdoa pecados?"**

Em nada Jesus se deixava abalar. Viera "em nome da verdade" e em nome dela agiria.

Não lhe importavam as críticas ou os julgamentos dos outros. Viera salvar os pecadores e chamar todos à conversão. E assim procedia, sempre e em qualquer ocasião.

Suas mãos milagrosas, suas palavras salvíficas, seu coração amoroso não podiam deixar de encorajar aquela mulher:

**"Tua fé te salvou;
vai em paz".**

Extraordinário consolo àquela alma! Bálsamo retribuído, perfumando agora a vida daquela pecadora arrependida.

Se tivéssemos estado, amigo leitor, naquele memorável jantar, qual teria sido nosso julgamento?

# Prece do arrependimento

Senhor,
vieste chamar os pecadores,
aqueles que mais necessitam de Deus,
aqueles que precisam do teu perdão:
perdão irrestrito, generoso, total.

Como aquela mulher pecadora, arrependida,
prostro-me agora aos teus pés.
Meu pedido de perdão são minhas lágrimas,
meu bálsamo é a vontade de mudar.

Sei que me acolhes assim, Senhor,
pobre e despojado como sou.
Preciso ouvir tuas palavras amorosas
perdoando minhas faltas,
dando-me a paz que tanto
minha alma inquieta deseja.

Quero erguer-me dessa prostração espiritual
que tanto tempo me aprisiona.
Quero levantar minha cabeça
para olhar o mundo, com olhos novos,
carregando em minhas mãos
a certeza de ser perdoado.

Também eu quero ouvir hoje
tuas salvíficas palavras:
**"Perdoados te são teus pecados.**
**Vai em paz".**
Que assim seja!

"Eis o que diz o Senhor Deus:
eu vou criar novos céus
e uma nova terra;
o passado não será mais lembrado,
não voltará mais ao espírito" (Is 65,13.17).

# 21
## Mãos que amenizam a dor

Se há mãos que enfeitam e perfumam a vida, há outras que são especialistas em amenizar a dor. São mãos que aliviam o sofrimento, que enxugam as lágrimas, que confortam o rosto extenuado.

As mãos de Simão, morador de Cirene (cf. Mc 15,21), foram as mãos amigas que aliviaram o peso da cruz de Jesus. O caminho era longo e difícil para quem fora maltratado como o Mestre.

Estava exausto, caía, e era forçado a levantar-se. Tinha que prosseguir, nem que obrigassem alguém a ajudá-lo a carregar seu pesado madeiro. Entre açoites e pontapés, os soldados faziam-no arrastar sua cruz. Simão, homem forte, poder-lhe-ia amenizar a dor, carregando-lhe a cruz em certos trechos. Assim, **as mãos do cireneu** tornaram-se um **símbolo universal de amor** para todos os que diariamente carregam sua cruz – você e eu – necessitados de ajuda.

– **Nós,** "necessitados de ajuda" ou nos tornando **outros cireneus** a aliviar o peso da cruz de irmãos sofridos, bem mais precisados do que nós?

**As mãos de Verônica** – assim reza a tradição cristã – compadecidas com a dor e o sofrimento, o suor e o sangue do rosto de Jesus, enxugaram as sagradas faces, ao longo do caminho ao Calvário.

São elas, universalmente hoje, as mãos da compaixão, do cuidado, do bálsamo diante da dor.

– É íngreme e penoso o caminho do Calvário de muita gente. Onde estão "nossas mãos de Verônica" para enxugar o suor e as lágrimas de tantos sofredores anônimos com quem cruzamos diariamente em nossos caminhos?

O Mestre cumprira sua missão até a morte.

Nem mesmo diante das ameaças dos magistrados e governadores retrocedeu em uma palavra sequer.

O que dissera, todos o sabiam, e era isso que reafirmava. Sua fidelidade à palavra do Pai custou-lhe a vida. Descido da cruz, por ordem de Pilatos, o corpo de Jesus foi entregue a José de Arimateia, que o solicitara ao governador.

Nicodemos prestou-lhe ajuda na dolorosa missão de embalsamar o corpo de Jesus, envolvendo-o num tecido de linho, recoberto de aromas (cf. Jo 19,38-42).

– Mãos de José de Arimateia e Nicodemos: todo carinho que **mãos de amigos** poderiam ter nessa hora, suas mãos tiveram. Cuidaram desse corpo inerte, sem vida, como se cuida de um doente em recuperação. Como se a alma dos dois amigos o soubesse: **era o corpo que iria ressuscitar glorioso.**

Nossas mãos, amigo leitor, terão o cuidado necessário e o amor suficiente para ajudar preparar o corpo de alguém que falece?

Você é forte o bastante para fazer o que os amigos de Jesus fizeram?

Mas há mais um episódio que temos de lembrar.

> **"Junto à cruz de Jesus estava de pé**
> **sua mãe, a irmã de sua mãe, Maria,**
> **mulher de Cleófas e Maria Madalena"** (Jo 19,25).

Todos os evangelistas relatam que várias mulheres que acompanhavam o Mestre em suas pregações, cuidando de sua alimentação e a dos apóstolos, estavam junto à cruz e de lá não arredaram pé, a não ser após o sepultamento.

Imagino com que dor, com quanta ternura, a mãe de Jesus recebeu em seus braços o filho morto. Seu coração sabia de tudo que haveria de acontecer. Sabia que a missão de Jesus era essa. Sabia que o fim seria essa trágica morte. Fora tudo predito pelos profetas e pelo próprio Jesus.

Ao pé da cruz estava ela: em lágrimas, sim, mas **forte e corajosa.** Passo a passo havia acompanhado a longa subida ao Calvário. Passo a passo, sofrido em sua própria carne, cada chicotada que o filho recebia da soldadesca.

Ei-lo agora, todo ferido e sem vida, nos braços amorosos da mãe. Que cena triste e comovente! Que dor mais lancinante!

As mãos que, de menino, tantas vezes o afagaram, confortando-o em sua árdua missão de profeta, agora eram silenciosas e meigas, limpando-lhe as feridas do rosto ensanguentado.

Tudo acabara num trágico fim. Ela o soubera, desde sempre. Trágico fim, não fora a ressurreição.

Você que me acompanhou ao longo destas páginas, olhe para suas mãos e as bendiga.

Elas foram feitas para o amor e só tem sentido quando amam. E ninguém melhor que Aquele que é Amor – nosso Deus – para ensiná-las a amar. Coloque agora **suas mãos nas mãos de Deus** e cante comigo:

"Se as águas do mar da vida
quiserem te afogar,
segura na mão de Deus e vai.

Segura na mão de Deus;
segura na mão de Deus:
pois ela, ela te sustentará.
Não temas, segue adiante,
e não olhes para trás,
segura na mão de Deus e vai".

E a **felicidade**
acompanhe seus passos,
hoje e sempre.

# Prece das mãos que amenizam a dor

Senhor, conversei hoje
demoradamente com minhas mãos.
Percebi que, em certas ocasiões,
elas foram generosas e fraternas.
Em outras, souberam suavizar a dor,
sendo amparo e consolo para muitos.
No entanto, Senhor, falta-lhes ainda
um amor mais corajoso e abnegado,
falta-lhes o gesto solidário, sem reservas.
Ainda há resquícios de egoísmo
em minhas mãos, Senhor.
Sinto-as receosas no momento da partilha.
Meu ego é possessivo, preso demais
às coisas frágeis e perecíveis,
incapazes de suprir o amor.
Quisera, Senhor, transformar minhas mãos
em bálsamo divino, em suave perfume.
e amenizar a dor do próximo.
Como as mãos de Maria: meigas e fortes,
assim se tornem, Senhor, as minhas,
mãos que confortam,
mãos que acariciam.
Em todo momento e lugar:
mãos que amenizam a dor.
Que assim seja!